McDOUGAL LITTELL

BLEU 1

Discovering FRENCH Nouveau!

Warm-Up Transparencies

McDougal Littell
A DIVISION OF HOUGHTON MIFFLIN COMPANY
Evanston, Illinois · Boston · Dallas

ISBN-13: 978-0-618-66099-5

ISBN-10: 0-618-66099-2

4 5 6 7 8 9 -MJT- 10 09 08

Table of Contents

vii   To the Teacher

Warm Up OHT 1   Unité 1, Leçon 1A, Pour communiquer, p. 15
                 Unité 1, Leçon 1A, *Les nombres de 0 à 10*, p. 17

Warm Up OHT 2   Unité 1, Leçon 1B, Pour communiquer, p. 19
                 Unité 1, Leçon 1C, Pour communiquer, p. 23

Warm Up OHT 3   Unité 1, Leçon 1C, Pour communiquer, p. 24
                 Unité 1, Leçon 2A, Pour communiquer, p. 27

Warm Up OHT 4   Unité 1, Leçon 2B, Pour communiquer, p. 31
                 Unité 1, Leçon 2C, Pour communiquer, p. 35

Warm Up OHT 5   Unité 1, Leçon 2C, *Mon cousin, ma cousine*, p. 36
                 Unité 2, Leçon 3A, Pour communiquer, p. 45

Warm Up OHT 6   Unité 2, Leçon 3A, *Un sandwich, une pizza*, p. 46
                 Unité 2, Leçon 3B, Pour communiquer, p. 49

Warm Up OHT 7   Unité 2, Leçon 3C, *Ça fait combien?*, p. 52
                 Unité 2, Leçon 3C, Pour communiquer, p. 53

Warm Up OHT 8   Unité 2, Leçon 4A, Pour communiquer, p. 56
                 Unité 2, Leçon 4A, Pour communiquer, p. 58

Warm Up OHT 9   Unité 2, Leçon 4B, Pour communiquer, p. 62
                 Unité 2, Leçon 4C, Pour communiquer, p. 65

Warm Up OHT 10   Unité 3, Leçon 5, Vocabulaire—*Préférences*, pp. 74–75
                 Unité 3, Leçon 5, Vocabulaire—*Souhaits*, p. 77

Warm Up OHT 11   Unité 3, Leçon 5, Vocabulaire—*Invitations*, p. 78
                 Unité 3, Leçon 6, *Le verbe **être** et les pronoms sujets*, p. 84

Warm Up OHT 12   Unité 3, Leçon 6, *Les questions à réponse affirmative ou négative,*
                         p. 86
                 Unité 3, Leçon 6, *La négation*, p. 88, Activité 1

Warm Up OHT 13   Unité 3, Leçon 6, *La négation*, p. 88, Activité 2
                 Unité 3, Leçon 7, *Les verbes en **-er**: le singulier*, p. 94

Warm Up OHT 14   Unité 3, Leçon 7, *Les verbes en **-er**: le singulier*, p. 94; *le pluriel*, p. 96
                 Unité 3, Leçon 7, *Le présent des verbes en **-er**: forme affirmative et*
                         forme négative, p. 98

Warm Up OHT 15   Unité 3, Leçon 7, Vocabulaire—*Mots utiles*, p. 100
                 Unité 3, Leçon 8, *Les questions d'information*, p. 106

Warm Up OHT 16   Unité 3, Leçon 8, Vocabulaire—*Expressions interrogatives*, p. 106
                 Unité 3, Leçon 8, *Les expressions interrogatives avec **qui** et*
                         qu'est-ce que, pp. 108–109

Warm Up OHT 17   Unité 3, Leçon 8, *Le verbe **faire***, p. 110
                 Unité 4, Leçon 9, Vocabulaire—*La description des personnes,*
                         pp. 138–139

Warm Up OHT 18   Unité 4, Leçon 9, Vocabulaire—*Les objets*, p. 140
                 Unité 4, Leçon 9, Vocabulaire—*Les affaires personnelles*, p. 142

Discovering French, Nouveau! Bleu   **Table of Contents**
                                                       Warm-Up Transparencies

iii

Warm Up OHT 19	Unité 4, Leçon 9, Vocabulaire—*Mon ordinateur*, p. 147
	Unité 4, Leçon 10, *Le verbe **avoir**,* p. 152
Warm Up OHT 20	Unité 4, Leçon 10, *Les noms et les articles*, pp. 153–154
	Unité 4, Leçon 10, *L'article indéfini dans les phrases négatives*, p. 156
Warm Up OHT 21	Unité 4, Leçon 10, *L'usage de l'article défini dans le sens général*, p. 158
	Unité 4, Leçon 10, *L'usage de l'article défini avec les jours de la semaine*, p. 159
Warm Up OHT 22	Unité 4, Leçon 11, *Le copain de Mireille*, p. 162
	Unité 4, Leçon 11, Vocabulaire—*La description*, p. 165
Warm Up OHT 23	Unité 4, Leçon 11, *Les adjectifs*, pp. 167–168
	Unité 4, Leçon 12, Vocabulaire—*Les couleurs*, p. 174
Warm Up OHT 24	Unité 4, Leçon 12, Vocabulaire—*Les adjectifs qui précèdent le nom*, p. 175
	Unité 4, Leçon 12, *Il est ou c'est?*, p. 177
Warm Up OHT 25	Unité 5, Leçon 13, Vocabulaire—*Où habites-tu?*, p. 196
	Unité 5, Leçon 13, Vocabulaire—*Ma ville*, p. 197
Warm Up OHT 26	Unité 5, Leçon 13, Vocabulaire—*Ma maison*, p. 200
	Unité 5, Leçon 14, *Le verbe **aller**,* p. 206
Warm Up OHT 27	Unité 5, Leçon 14, *La préposition **à**; **à** + l'article défini*, p. 208
	Unité 5, Leçon 14, Vocabulaire—*En ville*, p. 210
Warm Up OHT 28	Unité 5, Leçon 14, *La construction **aller** + l'infinitif*, p. 212
	Unité 5, Leçon 15, Conversation et Culture—*Au Café de l'Univers*, p. 216
Warm Up OHT 29	Unité 5, Leçon 15, *Le verbe **venir**,* p. 218; *la préposition **de** + l'article défini*, p. 219
	Unité 5, Leçon 15, Vocabulaire—*Les sports, les jeux et la musique*, p. 220
Warm Up OHT 30	Unité 5, Leçon 15, *La construction: nom + **de** + nom*, p. 223
	Unité 5, Leçon 16, *La possession avec **de**,* p. 228
Warm Up OHT 31	Unité 5, Leçon 16, Vocabulaire—*La famille*, p. 229; *Les adjectifs possessifs: **mon, ton, son**,* p. 230, Activité 1
	Unité 5, Leçon 16, *Les adjectifs possessifs: **mon, ton, son**,* p. 230, Activité 2
Warm Up OHT 32	Unité 5, Leçon 16, *Les adjectifs possessifs: **notre, votre, leur**,* p. 232
	Unité 6, Leçon 17, Vocabulaire—*Les vêtements*, pp. 258–259
Warm Up OHT 33	Unité 6, Leçon 17, Vocabulaire—*D'autres vêtements et accessoires*, p. 260
	Unité 6, Leçon 17, Vocabulaire—*Dans un magasin*, p. 262
Warm Up OHT 34	Unité 6, Leçon 18, *Les verbes **acheter** et **préférer**,* p. 268
	Unité 6, Leçon 18, Vocabulaire—*Verbes comme **acheter** et **préférer**,* p. 269

Warm Up OHT 35	Unité 6, Leçon 18, *L'adjectif démonstratif ce; L'adjectif interrogatif quel?*, pp. 270–271
	Unité 6, Leçon 18, *Le verbe mettre*, p. 272
Warm Up OHT 36	Unité 6, Leçon 19, *Les verbes réguliers en –ir*, p. 278
	Unité 6, Leçon 19, Vocabulaire—*Verbes réguliers en –ir*, p. 278
Warm Up OHT 37	Unité 6, Leçon 19, *Les adjectifs beau, nouveau, vieux*, p. 279
	Unité 6, Leçon 19, *La comparaison avec les adjectifs*, p. 280
Warm Up OHT 38	Unité 6, Leçon 20, Conversation et culture—*Alice a un job*, p. 284
	Unité 6, Leçon 20, Vocabulaire—*L'argent*, p. 286
Warm Up OHT 39	Unité 6, Leçon 20, Vocabulaire—*Verbes réguliers en –re*, p. 290
	Unité 6, Leçon 20, *L'impératif*, p. 291
Warm Up OHT 40	Unité 7, Leçon 21, Vocabulaire—*Le week-end*, p. 310
	Unité 7, Leçon 21, Vocabulaire—*Les vacances*, p. 312
Warm Up OHT 41	Unité 7, Leçon 21, Vocabulaire—*Activités sportives*, p. 313
	Unité 7 Leçon 22, Conversation et culture—*Vive le week-end!*, pp. 318–319
Warm Up OHT 42	Unité 7, Leçon 22, *Les expressions avec avoir*, p. 320
	Unité 7, Leçon 22, *Le passé composé des verbes en –er*, p. 321
Warm Up OHT 43	Unité 7, Leçon 22, *Le passé composé: forme négative*, p. 324
	Unité 7, Leçon 22, *Les questions au passé composé*, p. 326
Warm Up OHT 44	Unité 7, Leçon 23, Conversation et culture—*L'alibi*, p. 330
	Unité 7, Leçon 23, *Le verbe voir*, p. 332
Warm Up OHT 45	Unité 7, Leçon 23, *Le passé composé des verbes réguliers en –ir et –re*, p. 333; *Le passé composé des verbes être, avoir, faire, mettre et voir*, p. 335
	Unité 7, Leçon 23, Vocabulaire—*Quand?*, p. 336
Warm Up OHT 46	Unité 7, Leçon 24, Conversation et culture—*Qui a de la chance?*, p. 340
	Unité 7, Leçon 24, *Le passé composé avec être*, p. 342
Warm Up OHT 47	Unité 7, Leçon 24, Vocabulaire—*Quelques verbes conjugués avec être au passé composé*, p. 344
	Unité 7, Leçon 24, *La construction négative ne... jamais*, p. 346; *Les expressions quelqu'un, quelque chose et leurs contraires*, p. 347
Warm Up OHT 48	Unité 8, Leçon 25, Vocabulaire—*Les repas et la table*, p. 364
	Unité 8, Leçon 25, Vocabulaire—*La nourriture et les boissons*, pp. 366–367
Warm Up OHT 49	Unité 8, Leçon 25, Vocabulaire—*Les fruits et les légumes*, p. 371
	Unité 8, Leçon 26, *Le verbe vouloir*, p. 376
Warm Up OHT 50	Unité 8, Leçon 26, Vocabulaire—*Verbes comme prendre*, p. 377
	Unité 8, Leçon 26, *L'article partitif dans les phrases négatives*, p. 381

Warm Up OHT 51   Unité 8, Leçon 26, *Le verbe **boire**,* p. 383
                                  Unité 8, Leçon 27, *Les pronoms compléments: **me, te, nous, vous**,*
                                           p. 388

Warm Up OHT 52   Unité 8, Leçon 27, *Les pronoms compléments à l'impératif,* p. 390
                                    Unité 8, Leçon 27, *Les verbes **pouvoir** et **devoir**,* p. 392

Warm Up OHT 53   Unité 8, Leçon 28, *Le verbe **connaître**,* p. 398
                                    Unité 8, Leçon 28, *Les pronoms compléments: **le, la, les**,* p. 399

Warm Up OHT 54   Unité 8, Leçon 28, *La place des pronoms à l'impératif,* p. 401
                                    Unité 8, Leçon 28, *Les pronoms compléments **lui, leur**,* p. 402

Warm Up OHT 55   Unité 8, Leçon 28, *Les verbes **dire** et **écrire**,* p. 404

AK1   Answer Key

To the Teacher

The *Discovering French, Nouveau! Warm-Up Transparencies* provide five-minute activities that are designed to keep your students on task from the moment they step into your classroom. Before the start of each class, display a Warm-Up Transparency that practices the previous day's vocabulary or grammar lesson. (Each transparency has two activities to be used on two different days.) Students can quietly complete the activity while you take attendance, check homework, or catch up with a student who was absent the day before. In addition, by practicing the newly-learned material at the beginning of class, your students will gain more confidence with the new language and be better able to express themselves during class.

We hope you enjoy using the *Discovering French, Nouveau! Warm-Up Transparencies!*

Answer Key

Warm Up OHT 1

Unité 1 Leçon 1A Warm Up
♻ **Pour communiquer p. 15**

1. je m'appelle _____
2. comment t'appelles-tu
3. Comment t'appelles-tu
4. Bonjour
5. Bonjour

Unité 1 Leçon 1A Warm Up
♻ *Les nombres de 0 à 10 p. 17*

1. trois
2. cinq
3. quatre
4. huit
5. deux

Warm Up OHT 2

Unité 1 Leçon 1B Warm Up
♻ **Pour communiquer p. 19**

1. américain
2. canadienne
3. français
4. américaine
5. anglaise

Unité 1 Leçon 1C Warm up
♻ **Pour communiquer p. 23**

1. Salut
2. Bonjour
3. Bonjour
4. Au revoir
5. Au revoir

Warm Up OHT 3

Unité 1 Leçon 1C Warm Up
♻ **Pour communiquer p. 24**

1. a. Comment vas-tu?
2. b. Comment allez-vous?
3. a. Ça va bien?
4. b. Ça va mal?
5. b. Comment allez-vous?

Unité 1 Leçon 2A Warm Up
♻ **Pour communiquer p. 27**

1. I
2. L
3. L
4. L
5. I

Warm Up OHT 4

Unité 1 Leçon 2B Warm Up
♻ **Pour communiquer p. 31**

–Tu connais la fille?
–Elle s'appelle Monique.
–Elle est française?
–Non, elle est canadienne.

Unité 1 Leçon 2C Warm Up
♻ **Pour communiquer p. 35**

FEMMES	HOMMES
une sœur	un frère
une mère	un père
une grand-mère	un grand-père
une tante	un oncle

Warm Up OHT 5

Unité 1 Leçon 2C Warm Up
♻ *Mon cousin, ma cousine* p. 36

1. ma
2. ma
3. mon
4. mon
5. mon

Unité 2 Leçon 3A Warm Up
♻ **Pour communiquer p. 45**

Answers will vary. Sample answers are shown.

1. un sandwich
2. un steak-frites
3. une omelette
4. un croissant
5. une pizza

Warm Up OHT 6

Unité 2 Leçon 3A Warm Up
♻ *Un sandwich, une pizza* p. 46

Answers will vary. Sample answers shown.

UN	UNE
un croissant	une omelette
un steak-frites	une salade
un hamburger	une glace
un hot dog	une crêpe

Unité 2 Leçon 3 B Warm Up
♻ **Pour communiquer p. 49**

1. a. une café
2. c. un sandwich
3. b. Donnez-moi une limonade, s'il vous plaît.
4. a. Une crêpe, s'il te plaît.
5. b. un jus de raisin

Warm Up OHT 7

Unité 2, Leçon 3C Warm Up
♻ *Ça fait combien?* p. 52

1. Le jus d'orange coûte 2 euros 50.
2. La limonade coûte 1 euro 50.
3. Ça fait 4 euros.

Unité 2 Leçon 3C Warm Up
♻ **Pour communiquer p. 53**

1. Elle coûte 4 euros 50.
2. Il coûte 9 euros.
3. Il coûte 2 euros 50.
4. Il coûte 3 euros.
5. Elle coûte 3 euros 50.

Warm Up OHT 8

Unité 2 Leçon 4A Warm up
♻ **Pour communiquer p. 56**

1. Il est une heure.
2. Il est trois heures.
3. Il est neuf heures.
4. Il est huit heures.
5. Il est minuit. (Il est douze heures.)

Unité 2 Leçon 4A Warm up
♻ **Pour communiquer p. 58**

1. Le concert est à neuf heures.
2. Le rendez-vous avec Sophie est à une heure et quart./Le rendez-vous avec Sophie est à une heure quinze.
3. Le train est à onze heures dix.
4. Le match de tennis est à sept heures et demie. / Le match de tennis est à sept heures trente.
5. Le rendez-vous avec Richard est à trois heures moins vingt. / Le rendez-vous avec Richard est à deux heures quarante.

Warm Up OHT 9

Unité 2 Leçon 4B Warm Up
♻ Pour communiquer p. 62

1. c. le 25 décembre
2. d. le 31 octobre
3. e. le 4 juillet
4. a. le premier janvier
5. b. le 14 février

Unité 2 Leçon 4C Warm Up
♻ Pour communiquer p. 65

LE PRINTEMPS: Il fait frais., Il fait beau., Il
  pleut.
L'ÉTÉ: Il fait beau., Il pleut., Il fait chaud.
L'AUTOMNE: Il fait frais., Il pleut., Il fait beau.
L'HIVER: Il fait froid., Il neige., Il fait mauvais.

Warm Up OHT 10

Unité 3 Leçon 5 Warm Up
♻ Vocabulaire—*Préférences*
pp. 74–75

Answers will vary. Sample answers shown.
LES ACTIVITÉS
regarder la télé
écouter la radio
jouer aux jeux vidéo
danser
jouer au tennis

1. J'aime écouter la radio.
2. Je préfère danser et jouer au tennis.
3. Je n'aime pas regarder la télé.

Unité 3 Leçon 5 Warm Up
♻ Vocabulaire—*Souhaits* p. 77

1. Je ne veux pas manger.
2. Je ne veux pas écouter la radio.
3. Je ne veux pas jouer aux jeux video.
4. Je ne veux pas travailler.
5. Je ne veux pas dîner au restaurant.

Warm Up OHT 11

Unité 3 Leçon 5 Warm Up
♻ Vocabulaire—*Invitations* p. 78

Answers will vary. Sample answers shown.

1. Oui, merci, je veux bien jouer au tennis avec toi.
2. Je regrette, mais je ne peux pas étudier avec
   toi.
3. Oui, d'accord, je veux bien dîner avec toi.
4. Oui, je veux bien regarder la télé avec toi.
5. Je regrette, mais je ne peux pas voyager avec
   toi.

Unité 3 Leçon 6 Warm Up
♻ *Le verbe être et les pronoms*
sujets p. 84

1. Nous sommes anglais.
2. Vous êtes français.
3. Je suis américain.
4. Tu es anglaise.

Warm Up OHT 12

Unité 3 Leçon 6 Warm Up
♻ *Les questions à réponse*
affirmative ou négative p. 86

1. Est-ce que Jean-Marc est en classe?
2. Est-ce que Marianne et Cécile sont en
   vacances?
3. Est-ce que ta cousine est à la maison?
4. Est-ce qu'tu es là-bas?

Unité 3 Leçon 6 Warm Up
♻ *La négation* p. 88, Activité 1

1. Nous ne sommes pas en vacances.
2. Hélène n'est pas en ville.
3. Alain n'est pas au café avec les copains.
4. Tu n'es pas avec ta mère.

Warm Up OHT 13

Unité 3 Leçon 6 Warm Up
♻ *La négation* p. 88, Activité 2

1. Les copains ne sont pas au café.
2. Ton père n'est pas en ville.
3. Nous ne sommes pas français.
4. Anne et Sylvie ne sont pas à Bordeaux.
5. Mon ami n'est pas avec moi.

Unité 3 Leçon 7 Warm Up
♻ *Les verbes en -er: le singulier* p. 94

1. L
2. L
3. I
4. L
5. I

Warm Up OHT 14

Unité 3 Leçon 7 Warm Up
♻ *Les verbes en -er: le singulier* p. 94; *le pluriel* p. 96

1. Nous
2. tu
3. Ils
4. vous
5. Elle

Unité 3 Leçon 7 Warm Up
♻ *Le présent des verbes en -er: forme affirmative et forme négative* p. 98

1. Ma mère ne travaille pas en ville.
2. Annick et Paul n'habitent pas à Toulouse.
3. Tu n'étudies pas l'arabe.
4. Nous ne dînons pas au restaurant.
5. Je ne parle pas au téléphone avec ma soeur.

Warm Up OHT 15

Unité 3 Leçon 7 Warm Up
♻ Vocabulaire—*Mots utiles* p. 100

Answers will vary. Sample answers shown.

1. Oui, je danse bien. / Non, je ne danse pas bien.
2. Oui, je regarde souvent la télévision. / Non, je ne regarde pas souvent la télévision.
3. Oui, j'aime beaucoup parler français. / Non, je n'aime pas beaucoup parler français.
4. Oui, je travaille toujours en classe. / Non, je ne travaille pas toujours en classe.
5. Oui, je voyage souvent. / Non, je ne voyage pas souvent.

Unité 3 Leçon 8 Warm Up
♻ *Les questions d'information* p. 106

1. c
2. e
3. a
4. b
5. d

Warm Up OHT 16

Unité 3 Leçon 8 Warm Up
♻ Vocabulaire—*Expressions interrogatives* p. 106

1. Comment est-ce qu'il parle français?
2. À quelle heure est-ce que vous jouez au football?
3. Pourquoi est-ce que nous travaillons?
4. Comment est-ce que les soeurs jouent au tennis?
5. Quand est-ce que tu organises une boum?

Unité 3 Leçon 8 Warm Up
♻ *Les expressions interrogatives avec qui et qu'est-ce que* pp. 108–109.

1. e
2. d
3. b
4. c
5. a

Warm Up OHT 17

Unité 3 Leçon 8 Warm Up
♻ *Le verbe faire* p. 110

1. fais
2. faisons
3. font
4. fais
5. fait

Unité 4 Leçon 9 Warm Up
♻ Vocabulaire—*La description des personnes* pp. 138–139

1. Sophie est jeune.
2. Sophie est grande.
3. Sophie est belle.
4. Sophie est une femme.
5. Sophie est étudiante.

Warm Up OHT 18

Unité 4 Leçon 9 Warm Up
♻ Vocabulaire—*Les objets* p. 140

1. un cahier
2. une raquette
3. une montre
4. un sac
5. un téléphone

Unité 4 Leçon 9 Warm Up
♻ Vocabulaire—*Les affaires personnelles* p. 142

Answers will vary. Sample answers given.

une radiocassette, une moto, un DVD

une chaîne hi-fi, une mobylette, une cassette video

un baladeur, un scooter, un ordinateur

une radio, une voiture, un appareil-photo

Warm Up OHT 19

Unité 4 Leçon 9 Warm Up
♻ Vocabulaire—*Mon ordinateur* p. 147

1. surfer sur l'Internet
2. chatter
3. télécharger
4. jouer aux jeux d'ordinateur

Unité 4 Leçon 10 Warm Up
♻ *Le verbe avoir* p. 152

1. Nous avons un chat.
2. Mon frère a une radio.
3. Tu as un baladeur.
4. Éric et Paul ont une guitare.
5. Vous avez un appareil-photo.

Warm Up OHT 20

Unité 4 Leçon 10 Warm Up
♻ *Les noms et les articles* pp. 153–154
1. les raquettes
2. les affiches
3. les stylos
4. des chaises
5. des cahiers

Unité 4 Leçon 10 Warm Up
♻ *L'article indéfini dans les phrases négatives* p. 156
1. Non, je n'ai pas de soeurs.
2. Non, je n'ai pas de vélo.
3. Non, je n'ai pas d'affiches.
4. Non, je n'ai pas de portable.
5. Non, je n'ai pas de guitare.

Warm Up OHT 21

Unité 4 Leçon 10 Warm Up
♻ *L'usage de l'article défini dans le sens général* p. 158
1. c
2. d
3. e
4. a
5. b

Unité 4 Leçon 10 Warm Up
♻ *L'usage de l'article défini avec les jours de la semaine* p. 159
Answers will vary. Sample answers shown.
1. J'ai le cours de maths le lundi, le mercredi et le vendredi.
2. J'ai le cours d'anglais le lundi, le mardi, le mercredi, le jeudi et le vendredi.
3. J'ai le cours de sciences le mardi et le jeudi.
4. Je regarde la télé le vendredi et le samedi.
5. J'étudie le samedi et le dimanche.

Warm Up OHT 22

Unité 4 Leçon 11 Warm Up
♻ *Le copain de Mireille* p. 162
1. F
2. V
3. F
4. V
5. F

Unité 4 Leçon 11 Warm Up
♻ *Vocabulaire—La description* p. 165
Answers may vary. Sample answers given.
1. intelligente
2. gentil
3. timide
4. sportive
5. amusante

Warm Up OHT 23

Unité 4 Leçon 11 Warm Up
♻ *Les adjectifs* pp. 167–168
1. Elle a une voiture japonaise.
2. Éric a des cousines mexicaines.
3. Vous avez des livres intéressants.
4. Mon frère aime les films français.

Unité 4 Leçon 12 Warm Up
♻ *Vocabulaire—Les couleurs* p. 174
1. b. blanche
2. a. gris
3. c. noire et rose
4. b. rouges

Warm Up OHT 24

Unité 4 Leçon 12 Warm Up
♻ Vocabulaire—*Les adjectifs qui précèdent le nom* p. 175

1. Maryse est une belle fille intelligente.
2. Nous avons un petit ordinateur portable.
3. Jean-Marc est un bon étudiant intelligent.
4. Les filles ont une grande chambre rose.

Unité 4 Leçon 12 Warm Up
♻ *Il est ou c'est?* p. 177

1. Il est amusant.
2. C'est un bon ami.
3. C'est une voiture anglaise.
4. C'est un copain.

Warm Up OHT 25

Unité 5 Leçon 13 Warm Up
♻ Vocabulaire—*Où habites-tu?* p. 196

1. J'habite dans un petit quartier.
2. Nous habitons à Tours.
3. Mon cousin habite à Montréal.
4. Les filles habitent dans une rue intéressante.
5. Tu habites 25 avenue Duchamps.

Unité 5 Leçon 13 Warm Up
♻ Vocabulaire—*Ma ville* p. 197

Answers will vary. Sample answers shown.

MA RUE: un supermarché, un parc, un magasin

MON QUARTIER: un cinéma, un restaurant, un café, une église

MA VILLE: un musée, un hôpital, une bibliothèque, un stade

Warm Up OHT 26

Unité 5 Leçon 13 Warm Up
♻ Vocabulaire—*Ma maison* p. 200

1. b
2. c / a
3. d
4. a / c
5. e

Unité 5 Leçon 14 Warm Up
♻ *Le verbe aller* p. 206

1. Tu vas au café.
2. Nous allons à la maison.
3. Vous allez à l'école.
4. Ils vont au cinéma.
5. Elle va à Paris.

Warm Up OHT 27

Unité 5 Leçon 14 Warm Up
♻ *La préposition à; à + l'article défini* p. 208

1. Anne-Sophie va à la piscine.
2. Mes copines vont au musée.
3. Nous allons aux magasins.
4. Paul et René vont à la bibliothèque.
5. Tu vas à l'hôtel.

Unité 5 Leçon 14 Warm Up
♻ Vocabulaire—*En ville* p. 210

1. L
2. I
3. I
4. I
5. L

Warm Up OHT 28

Unité 5 Leçon 14 Warm Up
♻ *La construction aller + l'infinitif* p. 212

1. Je vais arriver à l'école à 8h.
2. Mes soeurs vont rentrer à la maison.
3. Nous allons préparer une boum pour Anne.
4. Est-ce que tu vas aller au concert?
5. Marc va rester chez son copain.

Unité 5 Leçon 15 Warm Up
♻ *Conversation et Culture—Au Café de l'Univers* p. 216

1. F
2. V
3. V
4. F
5. V

Warm Up OHT 29

Unité 5 Leçon 15 Warm Up
♻ *Le verbe venir* p. 218; *la préposition de + l'article défini* p. 219

1. Nous venons de l'école.
2. Ma tante vient du centre commercial.
3. Vous venez de la piscine.
4. Tu viens des magasins.
5. Je viens de la plage.

Unité 5 Leçon 15 Warm Up
♻ Vocabulaire—*Les sports, les jeux et la musique* p. 220

Answers will vary. Sample answers shown.
LES SPORTS: le football, le basketball, le ping-pong, le volley, le baseball
LES JEUX: les échecs, les dames, les cartes, les jeux d'ordinateur
LES INSTRUMENTS DE MUSIQUE: le piano, le violon, la flûte, le clavier, le saxophone, la guitare, la batterie

Warm Up OHT 30

Unité 5 Leçon 15 Warm Up
♻ *La construction: nom + de + nom* p. 223

1. Nous avons la classe de français à 9h.
2. Jean a une voiture de sport.
3. Elle a un CD de musique africaine.
4. Anne et Oualid aiment jouer aux jeux d'ordinateur.

Unité 5 Leçon 16
♻ *La possession avec de* p. 228

1. C'est le vélo de Martine.
2. C'est la radio d'Alain.
3. C'est le livre de Xavier.
4. C'est le chat du voisin.

Warm Up OHT 31

Unité 5 Leçon 16 Warm Up
♻ Vocabulaire–*La famille* p. 229; *Les adjectifs possessifs: mon, ton, son* p. 230, Activity 1

1. c
2. e
3. d
4. a
5. b

Unité 5 Leçon 16 Warm Up
♻ *Les adjectifs possessifs: mon, ton, son* p. 230, Activity 2

1. son
2. sa
3. mes/mon
4. ta
5. ses

Warm Up OHT 32

Unité 5 Leçon 16 Warm Up
♻ *Les adjectifs possessifs: notre, votre, leur* p. 232

1. vos
2. leur
3. nos
4. leurs
5. votre

Unité 6 Leçon 17 Warm Up
♻ Vocabulaire–*Les vêtements* pp. 258–259

Answers will vary. Sample answers shown.
HOMMES: une chemise, une cravate
FEMMES: un chemisier, une robe, une jupe
HOMMES ET FEMMES: un chapeau, un pull, un blouson

Warm Up OHT 33

Unité 6 Leçon 17 Warm Up
♻ Vocabulaire–*D'autres vêtements et accessoires* p. 260

1. I
2. L
3. I
4. I
5. L

Unité 6 Leçon 17 Warm Up
♻ Vocabulaire–*Dans un magasin* p. 262

1. moche
2. grand
3. long
4. à la mode
5. courte

Warm Up OHT 34

Unité 6 Leçon 18 Warm Up
♻ *Les verbes acheter et préférer* p. 268

1. achetons
2. acheter
3. achètent
4. achetez
5. achète

Unité 6 Leçon 18 Warm Up
♻ Vocabulaire–*Verbes comme acheter et préférer* p. 269

1. Yves espère visiter Montréal.
2. Alice amène son copain au concert.
3. Vous achetez des lunettes de soleil.
4. Je préfère le maillot de bain blanc.
5. Les filles amènent leurs copines à la boum.

Warm Up OHT 35

Unité 6 Leçon 18 Warm Up
♻ *L'adjectif démonstratatif ce;
L'adjectif interrogatif quel?*
pp. 270–271

1. Ce blouson.
2. Cette cravate.
3. Ces chaussures.
4. Ces baskets.
5. Cet imperméable.

Unité 6 Leçon 18 Warm Up
♻ *Le verbe mettre* p. 272

1. mets
2. mets
3. mettons
4. mettent
5. met

Warm Up OHT 36

Unité 6 Leçon 19 Warm Up
♻ *Les verbes réguliers en –ir* p. 278

1. finis
2. finit
3. finissons
4. finis
5. finissez

Unité 6 Leçon 19 Warm Up
♻ Vocabulaire–*Verbes réguliers en
–ir* p. 278

1. choisis
2. grossit
3. finissons
4. réussissent à
5. maigrir

Warm Up OHT 37

Unité 6 Leçon 19 Warm Up
♻ *Les adjectifs beau, nouveau,
vieux* p. 279

1. Je choisis ce vieil imper.
2. Marc achète une nouvelle veste.
3. Est-ce que tu aimes ce vieux pullover?

Unité 6 Leçon 19 Warm Up
♻ *La comparaison avec les adjectifs*
p. 280

Answers may vary. Sample answers are shown.
1. À mon avis, le français est plus intéressant
que l'anglais.
2. À mon avis, Lance Armstrong est plus
sportif que Venus Williams.
3. À mon avis, les livres sont plus amusants
que les films.

Warm Up OHT 38

Unité 6 Leçon 20 Warm Up
♻ *Conversation et culture–Alice a
un job* p. 284

1. V
2. F
3. F
4. V
5. F

Answer Key
Warm-Up Transparencies

Discovering French, Nouveau! Bleu

Unité 6 Leçon 20 Warm Up
♻ Vocabulaire–*L'argent* p. 286

1. Mes frères ont envie d'une pizza. Ils ont besoin de manger.
2. J'ai envie de surfer sur l'Internet. J'ai besoin d'un bon ordinateur.
3. Nous avons envie d'aller au cinema. Nous avons besoin de 10 euros.
4. Tu as envie de voyager. Tu as besoin de gagner beaucoup d'argent.
5. Vous avez envie d'acheter des vêtements. Vous avez besoin d'un imperméable.

Warm Up OHT 39

Unité 6 Leçon 20 Warm Up
♻ Vocabulaire–*Verbes réguliers en –re* p. 290

1. entends
2. rendent visite à
3. répond
4. attendez
5. perdons

Unité 6 Leçon 20 Warm Up
♻ *L'impératif* p. 291

1. Visitez Paris!
2. Va (Allez) au café!
3. Achète (Achetez) une nouvelle voiture!
4. Va (Allez) à la plage!
5. Finis tes devoirs! (Finissez vos devoirs!)

Warm Up OHT 40

Unité 7 Leçon 21 Warm Up
♻ Vocabulaire–*Le week-end* p. 310

Answers will vary. Sample answers are shown.
1. faire un pique-nique
2. assister à un match de foot
3. ranger sa chambre
4. faire des achats
5. rencontrer des copains

Unité 7 Leçon 21 Warm Up
♻ Vocabulaire–*Les vacances* p. 312

Answers will vary. Sample answers are shown.
1. Je vais aller à la mer.
2. Je vais voyager en avion.
3. Je vais voyager avec ma famille.
4. Je vais passer une semaine là-bas.
5. Je vais nager et faire du ski nautique.

Warm Up OHT 41

Unité 7 Leçon 21 Warm Up
♻ Vocabulaire–*Activités sportives* p. 313

Answers will vary. Sample answers are shown.
À LA MER: la natation, le ski nautique, la voile, la planche à voile
À LA MONTAGNE: l'escalade, le ski, le VTT, le snowboard
AU PARC: le jogging, le roller, le skate

Unité 7 Leçon 22 Warm Up
♻ *Conversation et culture–Vive le week-end!* pp. 318–319

Answers will vary. Sample answers are shown.
1. J'aime rencontrer des amis.
2. J'aime aller en ville.
3. J'aime regarder des films.
4. J'aime écouter la musique.
5. J'aime travailler dans le jardin.

Warm Up OHT 42

Unité 7 Leçon 22 Warm Up
♻ *Les expressions avec avoir* p. 320

1. b
2. a
3. b
4. b

Unité 7 Leçon 22 Warm Up
♻ *Le passé composé des verbes en –er* p. 321

1. Ma mère a travaillé à l'hôpital.
2. Nous avons écouté de la musique africaine.
3. Tu as acheté un nouveau portable.
4. Vous avez joué aux jeux vidéo.
5. Hélène a réparé son vélo.

Warm Up OHT 43

Unité 7 Leçon 22 Warm Up
♻ *Le passé composé: forme négative* p. 324

1. Stéphanie n'a pas rencontré ses amis.
2. Nous n'avons pas voyagé avec nos amis.
3. Yves et Paul n'ont pas dépensé beaucoup d'argent.
4. Tu n'as pas gagné le match de tennis.

Unité 7 Leçon 22 Warm Up
♻ *Les questions au passé composé* p. 326

1. À qui est-ce qu'ils ont téléphoné hier soir?
2. Où est-ce que vous avez dîné samedi dernier?
3. Quel programme est-ce qu'elle a regardé à la télé?
4. Chez qui est-ce que Marianne a passé le week-end?

Warm Up OHT 44

Unité 7 Leçon 23 Warm Up
♻ *Conversation et culture: L'alibi* p. 330

1. V
2. F
3. F
4. V
5. V

Unité 7 Leçon 23 Warm Up
♻ *Le verbe voir* p. 332

1. voyons
2. vois
3. voient
4. vois
5. voir

Warm Up OHT 45

Unité 7 Leçon 23 Warm Up
♻ *Le passé composé des verbes réguliers en –ir et –re; Le passé composé des verbes être, avoir, faire, mettre et voir* pp. 333 & 335

1. a vu
2. avez fini
3. ai fait
4. ont vendu
5. as eu

Unité 7 Leçon 23 Warm Up
♻ *Vocabulaire—Quand?* p. 336

1. demain
2. ce soir
3. le week-end dernier
4. la semaine prochaine
5. le mois prochain

Warm Up OHT 46

Unité 7 Leçon 24 Warm Up
♻ *Conversation et culture—Qui a de la chance?* p. 340

1. V
2. F
3. F
4. V
5. V

Unité 7 Leçon 24 Warm Up
♻ *Le passé composé avec être* p. 342

1. Élisabeth est allée dans les grands magasins.
2. Jacques est allé à la campagne pour faire un pique-nique.
3. Nous sommes allé(e)s en France.
4. Tu es allé(e) à la plage.

Warm Up OHT 47

Unité 7 Leçon 24 Warm Up
♻ *Vocabulaire—Quelques verbes conjugués avec être au passé composé* p. 344

Answers will vary. Sample answers are shown.

1. Je suis allé(e) chez mon copain.
2. Mes cousins sont arrivés ce soir.
3. Tu es rentré(e) tard.
4. Mon frère est resté à la maison.
5. Elles sont venues après le match.

Unité 7 Leçon 24 Warm Up
♻ *La construction négative ne… jamais; les expressions quelqu'un, quelque chose et leurs contraires* pp. 346–347

1. Non, je ne vais jamais chez mes cousins.
2. Non, je ne fais rien (nous ne faisons rien) cet après-midi.
3. Non, elle ne téléphone à personne.
4. Non, elles ne dînent jamais au restaurant.
5. Non, il ne mange rien.

Warm Up OHT 48

Unité 8 Leçon 25 Warm Up
♻ *Vocabulaire—Les repas et la table* p. 364

1. un couteau
2. une serviette
3. une assiette
4. le verre
5. le petit déjeuner

Unité 8 Leçon 25 Warm Up
♻ *Vocabulaire—La nourriture et les boissons* pp. 366–367

Answers will vary. Sample answers are shown.

LE PETIT DÉJEUNER: les céréales, un oeuf, le pain, la confiture

LE DÎNER: le rosbif, le poisson, le jambon, le veau

LE DESSERT: le gâteau, la glace

LES BOISSONS: l'eau minérale, le lait, le jus de pomme, le thé glacé

Warm Up OHT 49

Unité 8 Leçon 25 Warm Up
♻ Vocabulaire—*Les fruits et les légumes* p. 371

Answers will vary. Sample answers are shown.

1. J'aime beaucoup les bananes.
2. J'aime un peu les pommes de terre.
3. J'aime beaucoup les cerises.
4. J'aime assez les tomates.
5. Je n'aime pas du tout les haricots verts.

Unité 8 Leçon 26 Warm Up
♻ *Le verbe vouloir* p. 376

1. veulent
2. voulons
3. veux
4. voulez
5. veut

Warm Up OHT 50

Unité 8 Leçon 26 Warm Up
♻ Vocabulaire—*Verbes comme prendre* p. 377

1. Ma cousine comprend le chinois.
2. Nous apprenons à jouer au tennis.
3. Sarah prend le bus pour aller à l'école.
4. Tu apprends le français au lycée.

Unité 8 Leçon 26 Warm Up
♻ *L'article partitif dans les phrases négatives* p. 381

1. Non, il ne prend pas de thé.
2. Non, nous ne prenons pas de glace (je ne prends pas de glace).
3. Non, elle ne veut pas d'eau.
4. Non, ils ne prennent pas de dessert.

Warm Up OHT 51

Unité 8 Leçon 26 Warm Up
♻ *Le verbe boire* p. 383

1. Je bois un café.
2. Amélie boit du jus de pamplemousse.
3. Nous buvons de l'eau minérale.
4. Martine et Béatrice boivent du lait.

Unité 8 Leçon 27 Warm Up
♻ *Les pronoms compléments: me, te, nous, vous* p. 388

1. Oui, ils nous rendent visite ce week-end. (Oui, ils me rendent visite ce week-end.)
2. Oui, je t'attends devant le cinéma.
3. Oui, Hervé vous vend sa guitare.
4. Oui, je t'achète une glace.

Warm Up OHT 52

Unité 8 Leçon 27 Warm Up
♻ *Les pronoms compléments à l'impératif* p. 390

1. Apportez-moi du thé! (Apportez-nous du thé!)
2. Ne m'attends pas après les cours!
3. Ne nous montrez pas cet appartement! (Ne me montrez pas cet appartement!)
4. Prête-moi ton vélo!
5. Ne m'apporte pas de cadeaux!

Unité 8 Leçon 27 Warm Up
♻ *Les verbes pouvoir et devoir* p. 392

1. pouvez
2. doit
3. dois
4. peux
5. devons

Warm Up OHT 53

Unité 8 Leçon 28 Warm Up
♻ *Le verbe connaître* p. 398

1. connais

2. connaissent

3. connaissons

4. connais

5. connaît

Unité 8 Leçon 28 Warm Up
♻ *Les pronoms compléments: le, la, les* p. 399

1. Mon frère le comprend.

2. Ils le connaissent.

3. Nous ne les voyons pas.

4. Vous les invitez à dîner.

5. Elle ne l'oublie pas.

Warm Up OHT 54

Unité 8 Leçon 28 Warm Up
♻ *La place des pronoms à l'impératif* p. 401

1. Ne l'achète pas! (Ne l'achetez pas!)

2. Apporte-le! (Apportez-le!)

3. Porte-la! (Portez-la!)

4. Ne le prépare pas! (Ne le préparez pas!)

Unité 8 Leçon 28 Warm Up
♻ *Les pronoms compléments lui, leur* p. 402

1. Paul lui téléphone.

2. Nous leur parlons.

3. Tu lui prêtes quelques CD.

4. Ils leur rendent visite.

Warm Up OHT 55

Unité 8 Leçon 28 Warm Up
♻ *Les verbes dire et écrire* p. 404

1. écrivons

2. dis

3. écrivent

4. dites

5. écrit